# Ricky Ricota e seu Super-Robô contra os Mosquitos Mutantes de Mercúrio

# Ricky Ricota e seu Super-Robô contra os Mosquitos Mutantes de Mercúrio

A segunda aventura robótica escrita por

## DAV PILKEY

Desenhos de

## MARTIN ONTIVEROS

COSACNAIFY

# Sumário

# CAPÍTULO 1

# Ricky e seu robô

Era uma vez um camundongo chamado Ricky Ricota, que vivia em Guinchópolis, com a mãe e o pai.

O Ricky podia até ser o menor camundongo das redondezas...

… mas ele tinha o MAIOR
melhor amigo da cidade.

# CAPÍTULO 2
# Na escola

O Ricky e o Super-Robô dele gostavam muito de ir juntos para a escola.

Às vezes, quando o Ricky
estava atrasado, o Robô voava
com ele até a porta da escola.

Depois da aula, o Super-Robô ajudava o Ricky a fazer a lição de casa. O Robô tinha o cérebro computadorizado, e era capaz de resolver problemas matemáticos bem complicados...

... além de ter um apontador
de lápis na ponta do dedo...

... e de às vezes emprestar seu olho telescópico para o Ricky. Desse jeito, estudar os planetas ficava muito mais fácil.

"Uau!", disse o Ricky. "Dá pra ver
Mercúrio! Que legal!"

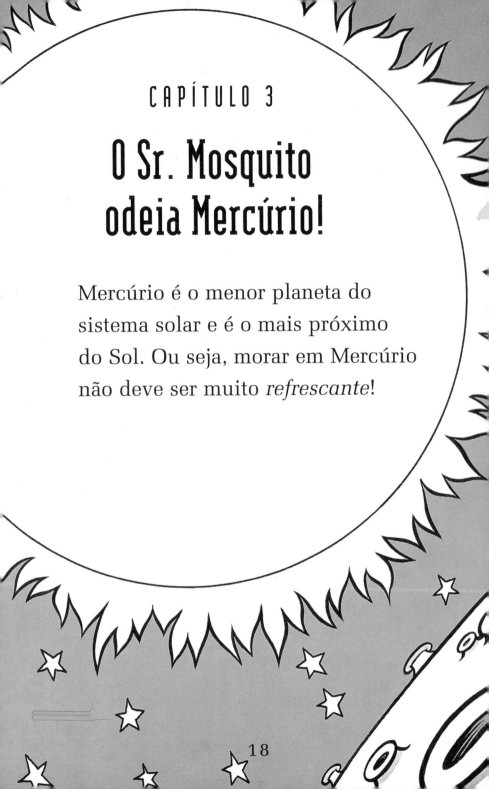

# CAPÍTULO 3

# O Sr. Mosquito odeia Mercúrio!

Mercúrio é o menor planeta do sistema solar e é o mais próximo do Sol. Ou seja, morar em Mercúrio não deve ser muito *refrescante*!

Pergunte ao Sr. Mosquito.
Ele morava em Mercúrio e
ODIAVA tudo o que havia por lá!

Ele odiava os dias longos, *longos* e QUENTES. Todos os dias, a temperatura chegava a mais de quatrocentos graus!

O Sr. Mosquito nem podia andar na rua: com esse calorão, os chinelos dele sempre derretiam na calçada.

O Sr. Mosquito também odiava
as noites longas, *longas* e FRIAS de
Mercúrio. Toda noite, a temperatura
caía para mais de cento e oitenta
graus abaixo de zero!

O Sr. Mosquito não conseguia
nem escovar os dentes: a pasta
sempre estava congelada!

"E-e-eu t-t-tenho que s-s-sair
d-d-desse p-p-planeta horrível", disse
o Sr. Mosquito, batendo os dentes
de frio. Então ele olhou pelo telescópio
e viu o planeta Terra.

Viu camundongos felizes brincando
nos gostosos dias de outono.

Viu camundongos aos roncos,
dormindo nas noites quentes de verão.

"A Terra é o planeta certo para
mim!", disse o Sr. Mosquito. "Logo,
logo ele será meu!"

# CAPÍTULO 4

# O Sr. Mosquito passa à ação

O Sr. Mosquito foi até
o laboratório secreto e cortou
suas unhas imundas.

Ele pôs os pedaços de unha numa máquina gigante e os bombardeou com um raio poderoso.

Em seguida, os pedaços de unha
do Sr. Mosquito cresceram e
cresceram e cresceram...

... e viraram poderosos Mosquitos Mutantes!

O Sr. Mosquito embarcou na
espaçonave e gritou para as tropas:
"Mosquitos Mutantes, chegou
a hora de conquistar a Terra!
Sigam-me!"

E eles o seguiram.

# CAPÍTULO 5

# Os Mosquitos atacam

Quando chegou à Terra, o Sr. Mosquito ordenou a seus Mosquitos Mutantes que atacassem Guinchópolis.

Naquela tarde, o Ricky estava na aula de matemática. Ele olhou pela janela e viu os Mosquitos Mutantes.

"Epa!", disse o Ricky. "Parece que Guinchópolis precisa da nossa ajuda!"

O Ricky levantou a mão e perguntou ao professor:

"Posso ser dispensado? Eu e o meu Robô temos que salvar a Terra."

"Antes você tem que terminar a prova de matemática", disse o professor do Ricky.

Faltavam três problemas para o Ricky resolver.

"Quanto é duas vezes três?", ele se perguntou em voz alta.

O Robô do Ricky estava esperando do lado de fora. Ele queria ajudar. Então correu ao estacionamento dos professores e trouxe alguns carros.

O Robô fez duas pilhas,
cada uma com três carros.

O Ricky olhou para as pilhas de carros.

"*Duas* pilhas de *três* carros", disse ele.

"Duas vezes três é igual a *seis*!"

Então leu a questão seguinte:
"Quanto é *seis* menos *cinco*?"
O Robô do Ricky já sabia o que fazer.

Ele jogou cinco carros de volta
no estacionamento.

"Entendi", disse o Ricky.

"Seis menos cinco é igual a *um*!"

41

A última questão era a mais difícil de todas:

"Quanto é *um* dividido por *dois*?", o Ricky perguntou.

O Robô usou seu golpe de caratê superpoderoso para dividir um carro em dois.

"Essa foi fácil", disse o Ricky. Um dividido por dois é igual a *meio*!"

O Ricky entregou a prova. Em seguida, sumiu pela janela.

"Vamos, Super-Robô", disse o Ricky.

"Temos que salvar o mundo."

"M-m-m-meu carro!", berrou o professor.

# CAPÍTULO 6

# Chegam os heróis

Ricky e seu Super-Robô
correram até o centro
da cidade para enfrentar
os Mosquitos Mutantes.

Os Mosquitos atacaram o Robô do Ricky.

"Ei", gritou o Ricky. "Quatro contra um é covardia!"

Então o Ricky teve uma idéia.

"Vem comigo, Robô", disse ele.

O Super-Robô estava ocupado
com a luta e por isso não podia seguir
o Ricky. Mas o braço dele podia!

O Ricky e o braço do Robô chegaram à fábrica de inseticidas Fora Insetos.

Ele ordenou que o braço do robô pegasse um dos imensos tanques do inseticida.

Logo, logo eles estavam de volta à batalha.

# CAPÍTULO 7

# Uma batalha insetológica

O Robô chacoalhou
o tanque de inseticida.

O Robô borrifou inseticida
nos Mosquitos.

E deu um fim na batalha
insetológica com o supergolpe
da bota biônica!

# CAPÍTULO 8

# A vingança do Sr. Mosquito

Os Mosquitos Mutantes foram derrotados. O Super-Robô do Ricky expulsou os insetos na direção do espaço.

Os Mosquitos voaram de
volta para Mercúrio e nunca
mais incomodaram ninguém.

O Sr. Mosquito estava uma arara.

Ele seqüestrou o Ricky e o levou para a sua espaçonave.

"Me ajude, Robô", suplicava o Ricky.

Tarde demais. O Sr. Mosquito acorrentou o Ricky. Depois foi até o painel de controle e puxou uma alavanca secreta.

Então a espaçonave começou
a se transformar. Ela se mexeu...

... cresceu...

... e virou um Megamosquito gigante!

O Megamosquito atacou
o Super-Robô do Ricky.
Mas o Robô não revidou.

Ele sabia que o Ricky o estava dentro do Megamosquito e não queria que seu melhor amigo se machucasse.

O Megamosquito deu
um soco no Robô do Ricky.

O que o Ricky podia fazer?

Ele pensou e pensou. Então, teve uma idéia.

"Sr. Mosquito", sussurrou o Ricky. "Preciso ir ao banheiro."

"Agora não", disse o Sr. Mosquito.
"Estou muito ocupado dando uma
surra no seu Robô!"

"Mas é uma emergência",
insistiu o Ricky.

"Está bem, está bem", disse
o Sr. Mosquito. Ele soltou o Ricky
e o levou ao banheiro dos meninos.
"Seja rápido!", ordenou.

No banheiro, o Ricky abriu
a janela, pôs a cabeça para
fora e sussurrou:
"Pssssiu!"

O Robô viu o Ricky e lhe estendeu sua mão gigante.

O Ricky pulou.

"Estou salvo", disse ele.

"Agora a batalha vai esquentar!"

78

# CAPÍTULO 9

# O Robô do Ricky contra-ataca

O Sr. Mosquito já estava perdendo
a cabeça dentro do Megamosquito.
Ele bateu na porta do banheiro
e gritou: "Vai logo! Eu não tenho
o dia to..."

*TA-BEF!*

O Robô do Ricky deu um soco
bem na cara do Megamosquito.

O Sr. Mosquito voltou para o painel
de controle e reagiu com fúria.

A batalha final estava para começar.

# CAPÍTULO 10

# A batalha final

## *(VIRE-O-GAME®)*

Quer ver as ilustrações do livro virarem um desenho animado? É só seguir essas instruções!

# O GAME

## É ASSIM QUE FUNCIONA!

### PASSO 1
Ponha a mão esquerda dentro da linha pontilhada, onde está escrito "MÃO ESQUERDA AQUI". Mantenha o livro *aberto*.

### PASSO 2
Segure a folha da *direita* com o dedão de um lado e o indicador do outro (dentro da linha pontilhada).

### PASSO 3
É só virar a página da direita *rapidamente* até que a figura pareça se *mexer*.

**(Para diversão extra, experimente adicionar seus próprios efeitos sonoros!)**

# VIRE-O-GAME 1

(páginas 87 e 89)

Lembre-se, vire *apenas* a página 87. Ao virá-la, fique de olho nas ilustrações das páginas 87 e 89. Quanto mais rápido você virar, mais o Megamosquito vai atacar.

Os efeitos sonoros são por sua conta!

MÃO ESQUERDA AQUI

# O Megamosquito
# atacou.

DEDÃO
DIREITO
AQUI

88

O Megamosquito
atacou.

# VIRE-O-GAME 2

(páginas 91 e 93)

Lembre-se, vire *apenas* a página 91.
Ao virá-la, fique de olho nas
ilustrações das páginas 91 e 93.
Quanto mais rápido você virar, mais
o Robô vai contra-atacar.

Os efeitos sonoros
são por sua conta!

MÃO ESQUERDA AQUI

# O Robô do Ricky
# contra-atacou.

91

DEDÃO DIREITO AQUI

# O Robô do Ricky
# contra-atacou.

# VIRE-O-GAME 3

(páginas 95 e 97)

Lembre-se, vire *apenas* a página 95. Ao virá-la, fique de olho nas ilustrações das páginas 95 e 97. Quanto mais rápido você virar, mais o Megamosquito vai lutar.

Os efeitos sonoros são por sua conta!

MÃO ESQUERDA AQUI

# O Megamosquito lutou pra valer.

95

DEDÃO DIREITO AQUI

96

O Megamosquito
lutou pra valer.

# VIRE-O-GAME 4

(páginas 99 e 101)

Lembre-se, vire *apenas* a página 99.
Ao virá-la, fique de olho
nas ilustrações das páginas 99 e 101.
Quanto mais rápido você virar,
mais o Robô vai se defender.

Os efeitos sonoros
são por sua conta!

MÃO ESQUERDA AQUI

# O Robô lutou
# com mais força ainda.

99

DEDÃO
DIREITO
AQUI

# O Robô lutou
# com mais força ainda.

# VIRE-O-GAME 5

(páginas 103 e 105)

Lembre-se, vire *apenas* a página 103.
Ao virá-la, fique de olho
nas ilustrações das páginas 103 e 105.
Quanto mais rápido você virar,
mais o Robô vai lutar.

Os efeitos sonoros
são por sua conta!

MÃO ESQUERDA AQUI

# O Robô do Ricky
# salvou o dia!

103

DEDÃO
DIREITO
AQUI

# O Robô do Ricky
# salvou o dia!

# CAPÍTULO 11

# A Justiça prevalece

O Megamosquito
foi destruído e o
Super-Robô do Ricky
provou ser o melhor.

O Sr. Mosquito engatinhou
para fora da nave destruída e
começou a chorar:

"Que péssimo dia!"

"E vai ficar muito pior",
disse o Ricky.

O Super-Robô do Ricky
pegou o Sr. Mosquito e o levou
para a cadeia de Guinchópolis.

Depois, o Ricky e o Robô
dele voaram para casa, para
tomar um chocolate batido e
comer uns sanduíches de queijo.

109

"Vocês salvaram o mundo mais uma vez, garotos", orgulhou-se a mãe do Ricky.

"Isso mesmo", disse o pai do Ricky.
"Obrigado por lutarem juntos pelo que
era certo!"

"Sem problemas", disse o Ricky...

"Amigo é pra essas coisas!"

# COMO DESENHAR O RICKY

1.

2.

3.

4.

5.

6.

7.

8.

9.

10.

11.

12.

# COMO DESENHAR O ROBÔ DO RICKY

1.

2.

3.

4.

5.

6.

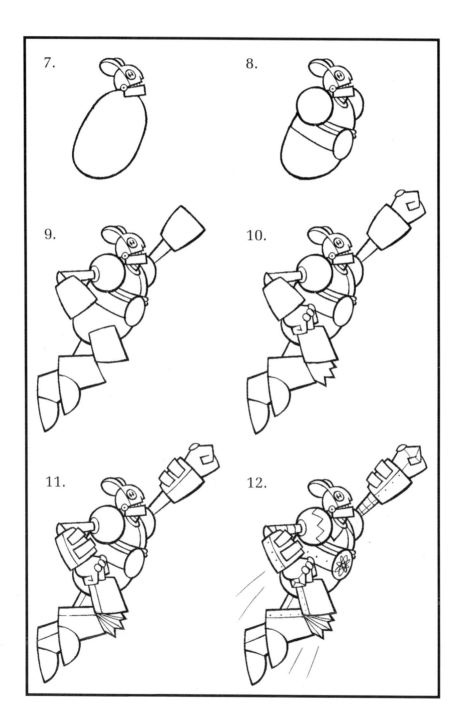

# COMO DESENHAR O SR. MOSQUITO

1.

2.

3.

4.

5.

6.

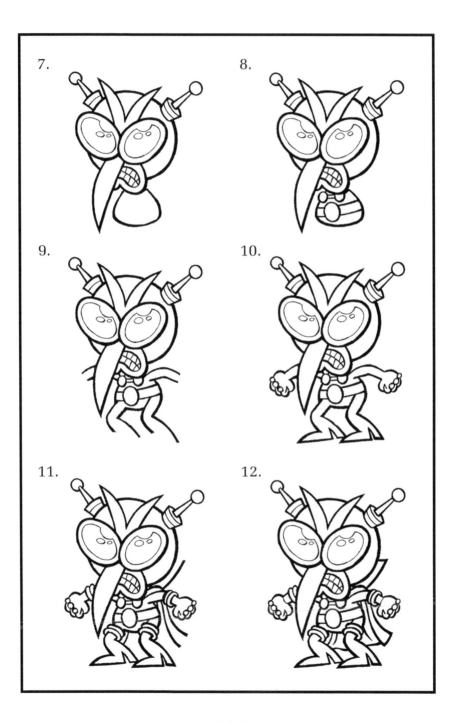

# COMO DESENHAR UM MEGAMOSQUITO

1.

2.

3.

4.

5.

6.

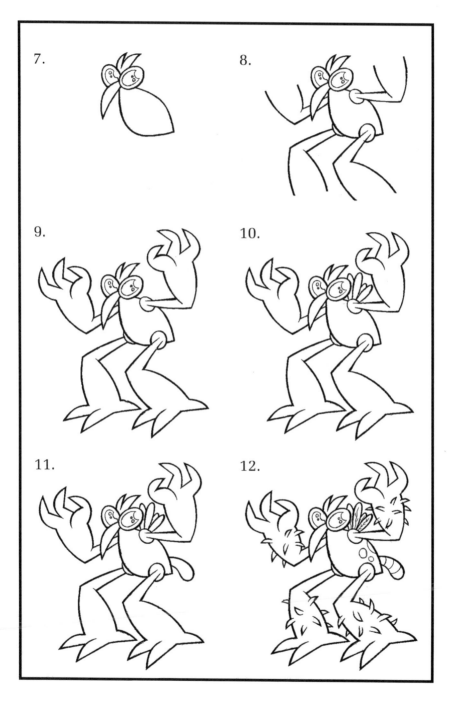

# Sobre o autor e o ilustrador

**DAV PILKEY** criou suas primeiras histórias em quadrinhos quando freqüentava o ensino fundamental. Em 1997, escreveu e ilustrou *As aventuras do Capitão Cueca*, o primeiro de uma série que se tornou um grande sucesso. A Cosac Naify já lançou sete volumes das Aventuras do Capitão Cueca, além de *Ricky Ricota e seu Super-Robô*, o primeiro livro desta coleção. Dav e seu cão moram em Portland, no Oregon, nos Estados Unidos.

Por um golpe de sorte, o Dav descobriu o trabalho do artista **MARTIN ONTIVEROS**. O Dav sabia que o Martin seria o ilustrador certo para a série Ricky Ricota e seu Super-Robô. O Martin também mora em Portland, com seu cachorro, além dos gatos Bunny e Spanky.